# Celle qui ne parle pas

Capucine Ruat

# Celle qui ne parle pas

*roman*

Stock

Le médecin me dit que je suis une enfant. J'ai le corps d'une fillette. Ce n'est pas grave, ça se répare un corps. Il y a un an je ne pesais pas grand-chose, on aurait pu me glisser dans une mallette ou m'accrocher à un cintre. Me souffler comme une allumette ou me froisser dans du papier de soie. Ma peau était une vieille fripe. Je l'enfilais à l'envers et je marchais de travers. J'ai grossi comme j'ai pu.

Le médecin ne comprend pas, depuis six mois je n'ai plus de sang, les analyses ne trompent pas, j'ai le sang d'une enfant. Je ne suis plus dans le cycle de la vie. J'ai trente ans et mon corps s'est endormi, il a fui dans l'enfance. Moi je comprends que mon ventre n'est pas rond et je retiens mes larmes. Je comprends que j'ai peur, je suis dans la nuit. J'ai peur d'enfanter dans l'obscurité.

Le médecin est une femme, elle dit que je ne peux pas rester comme ça. Non, elle a raison, je ne peux pas. Alors je décide d'y voir plus clair. De voir comment cela a commencé. Il faut bien que cela sorte. Pas de la guimauve, un truc collant, pas une eau tiédasse. Le sang, c'est une histoire de femmes. Alors je fais le tour des femmes de ma vie. Quand j'étais un tas d'os elles m'ont parlé à leur façon, à la façon de la famille, mutique.

Ma grand-mère a pincé la peau de mes fesses, détaillé les saillies et les côtes, puis elle a passé son chemin. Ma mère a vu, ses larmes ont coulé, son sang a parlé, et pour elle j'aurais fouillé l'or du monde. Mais elle est restée avec ses secrets. Ma sœur m'a écrit une lettre. C'est un geste d'abandon. Elle n'a pas pu me dire en face son amour. Elle a fermé les yeux et les oreilles, elle a eu la frousse, une frousse née de l'enfance. J'ai trente ans, elle a trente-cinq ans, et nous avons encore peur. Nous n'avons jamais parlé de cette lettre, glissée dans un tiroir. C'est une lettre fantôme, presque imaginaire. En cherchant mon chemin je vois mieux qu'il faut que je lui réponde. Que je réponde à l'une et l'autre. Je reprends nos vies, les photos des placards ou des vieux albums, je m'arrête sur certains clichés.

Et je tombe sur l'amie.

Je n'ai pas de nouvelles depuis des mois. Elle s'est mise sur la touche. Avec elle, c'est l'histoire des trois singes, une main sur l'oreille, une main sur les yeux, une main sur la bouche.

Je la connais depuis dix ans. Nous deux c'était pour la vie. L'amitié de Montaigne et La Boétie. J'avais chaud près d'elle et j'avais faim. J'avais un duvet sur les genoux, une écharpe autour du cou et une bonne assiette de soupe épaisse. Une boussole et une étoile du berger au-dessus de la tête. J'avais son regard sans cesse sur moi, et je ne la quittais pas de l'œil. Elle était dure et forte comme un marbre blanc, du granit rose au bord de mer coupé par l'eau et le vent. J'étais tendre comme du beurre frais. Sa fragilité était pour moi, et sa douceur. C'était un caramel mou entre mes doigts. Elle avait peur d'elle, j'avais peur des autres. Il y avait des dizaines de cartes, de lettres, de photos, de dédicaces, de cadeaux d'anniversaire, et ce silence soudain depuis deux ans. Je ne vais pas bien et je ne lui dis rien. Elle m'en veut, prend tout à rebours, les mots glissent, les gouttes font des flaques, l'huile des taches, ça colle et j'en ai partout.

Et je n'arrive pas à lui parler.

Elle n'est pas la seule. Qu'elle se rassure.

Je pourrais la revoir, je sais où elle habite, je connais la ville et la rue, son nom de femme mariée. Je n'oublie pas son anniversaire, le 14 février, jour de Saint-Valentin, mais j'oublie nos heures chaudes, la vie belle. Deux libellules effleurent l'eau, deux lézards prennent le soleil, deux chats s'emmêlent la queue, deux pics épeiches frappent l'écorce d'un tilleul. Le ciel boit le lait des nuages. Il n'y a aucun vent, un souffle léger dans les feuilles qui bruissent, il n'y a aucun bruit, juste sa gorge qui siffle. Elle est étendue sur l'herbe et je lui chatouille le nez avec une plume d'oiseau, elle rit et je reconnais les fossettes de ses joues.

Il faut à présent que j'y pense très fort. Je n'ai pas de mémoire. Pourtant il y avait tant d'amour entre nous.

On ne marche pas avec une béquille toute sa vie. J'ai enlevé la canne et le troisième œil. J'ai vu comment vivre sans elle. J'ai vu que c'était possible. Même si je la perds, je reste en vie. J'envisage toujours le pire avec ceux que j'aime. J'ai compris que sa douceur me cachait l'essentiel. Dans le danger j'ai compris plusieurs choses.

C'était une fille de l'ombre.

Elle trouvait le maquillage vulgaire, elle portait des bijoux discrets, des perles de nacre aux oreilles ou de fins colliers autour du cou, des amulettes et des porte-bonheur, elle achetait des chaussures plates, des jupes mi-longues, des couleurs foncées, elle n'aimait pas les parfums capiteux, la lingerie qui se devine, les bretelles qui dépassent, les jeux de transparence. Elle avait une belle poitrine, des seins lourds qu'elle dévoilait à peine. Elle ne voulait pas d'enfant. Et elle détestait perdre du sang chaque mois. Elle vomissait devant une viande saignante.

Je ne posais pas de questions. Je la voyais en famille et je devinais. Elle était toujours sur un strapontin, prête à jaillir et à dégueuler ses vérités. À ses côtés j'étais un agneau.

Avec l'amie j'oublie mais tout est déjà là. Je reprends le fil, et je reviens à la famille. Mon apprentissage de femme.

Mon linge s'est taché de gouttes de sang le jour d'un départ en vacances en août 1986. J'avais onze ans. Pendant cinq jours je suis restée sur la plage en short et chemisette, sans caresses ou bras accueillants, sans explication, il fallait faire avec, je n'étais plus une enfant. Il n'y avait pas d'indulgence.

Le sang était là chaque mois, et chaque mois je traînais des douleurs fulgurantes et des nausées violentes. Parfois je rentrais de l'école en me tenant aux murs, le ventre transpercé, j'avalais des comprimés contre les spasmes, je me glissais sous la couette avec une bande dessinée, une tisane et une bouillotte brûlante contre les flancs. Ma sœur me lançait des regards compréhensifs mais je sentais que je l'embarrassais. Ma mère avait la froideur d'un serpent. Je lui faisais peur. On ne m'expliquait rien et je n'osais pas demander. Je surprenais parfois des conversations intimes et je recollais les morceaux du puzzle. Le sang c'était le sexe et c'était tabou, c'est ce que je comprenais.

Au retour des vacances, je n'en parlais pas à mes amies. Mon sang ne me faisait pas peur, mais il était gênant, abondant et épais. C'était mon secret de grande personne.

En septembre j'entrais au collège et ma sœur au lycée. Elle prenait racine dans l'adolescence et je me défaisais de l'enfance. Ma mère m'emmenait dans les grands magasins. J'avais grandi d'un coup pendant les vacances, je la rattrapais en taille. J'achetais des vêtements, un cartable neuf et des stylos plume. J'écrivais à l'encre bleue ou violette sur de petits cahiers. Je me préparais une nouvelle vie.

En 1986 le sang faisait peur.

On parlait de sang vicié. À l'école on disait que le sida se transmettait par les moustiques. C'était les années quatre-vingt, un fatras de kitsch. Le top 50, les foulards rose fluo, les cartables kaki US army ; les clarks, les pulls chauve-souris ; Rose Laurens et Jeanne Mas en boucle ; le clip de *Thriller* et les pas chassés de *Flashdance* ; le Paris-Dakar et Daniel Balavoine ; Coluche et ses restos du cœur ; les dessins animés japonais.

On diffusait le premier Téléthon, et on trouvait ça obscène, ces handicapés filmés en gros plan pour tirer des larmes. On préférait les voitures lancées dans le désert africain. On achetait des paquets de riz pour les petits Éthiopiens. On vomissait devant leurs membres décharnés.

14

De grands yeux vides, des paupières bouffées par les mouches, un ventre gonflé. On apprenait à voir l'horreur d'une fillette qui se noie en direct au Vingt heures. Maintenant on ne donne plus aux vendeurs de journaux dans les rames du métro, on ne fait plus attention aux SDF entre bouches d'aération et cartons coupe-froid. On ne voit rien ; on regarde la téléréalité. On édulcore. On cache le sang. On n'agite plus le drapeau rouge devant le taureau.

Nous habitions un appartement en banlieue parisienne. Banlieue verte et prospère. Les pièces n'étaient pas très grandes mais j'avais ma chambre et mon bureau. Les voisins nous invitaient parfois chez eux, mais nous étions mal à l'aise devant leurs tableaux de maîtres. C'était un monde étranger. Je faisais des expériences insolites, comme chausser des patins pour ne pas abîmer le carrelage frais d'une salle à manger.

Nous avions de la chance, ma sœur et moi. Nous n'étions ni riches ni pauvres, mais incroyablement préservées. L'argent avait un sens, comme l'ascension sociale, pour ceux qui n'attendent aucun héritage de la vie. Nous étions studieuses et travailleuses. Fourmis plutôt que cigales.

Je ne faisais pas de folies ; que des mini-caprices. Je n'achetais pas de marques et je recyclais d'une année à l'autre les stylos, les classeurs et les rames de papier. Je ne savais pas demander, et encore aujourd'hui je n'ose pas. Je me tortillais devant ma mère, tel un ver de terre. Je gardais pour moi mes questions, je m'enroulais en moi-même, comme si mon corps n'était qu'une coquille, et je sentais mon ventre se tordre comme un linge mouillé qu'on essore.

Avec le sang je devenais mauvaise. Tout changeait en disgrâce. Je perdais la peau douce et la poésie de l'enfance. Je perdais en confiance.

Je ne voulais plus de ma mère. Je la fuyais comme la peste. À la rentrée, elle me laissait devant les grilles de l'école. J'avais les cheveux courts, j'avais quitté les boucles blondes, les tresses remontées sur le haut de la tête en couronne de princesse. J'aimais sentir l'air dans mon cou et sur mes oreilles. J'étais plus grande que ceux de mon âge, je portais une chemise sur un pantalon, les mains dans les poches, à la garçonne.

Je mettais aussi ma sœur à distance. Lorsqu'elle m'accompagnait, je restais en arrière en traînant les semelles. Je faisais la gueule. Je voulais montrer que je n'avais pas besoin d'elle. Elle ralentissait pour m'attendre, avec des yeux de cocker. Je voyais sa tristesse mais je ne la prenais pas pour moi.

De nous deux, j'étais la méchante. J'avais le sang chaud.

Lorsqu'elle me bousculait contre la chaîne hi-fi, la tête cognant le meuble, on ne me croyait pas. Ce n'était qu'un rêve. Ma sœur n'a jamais levé la main sur moi, jamais pincé la peau des fesses, jamais crié dans mes oreilles.

Lorsqu'on me fessait, je riais, c'étaient des caresses. À l'école on me donnait le bon dieu sans confession, mais à côté d'elle, l'enfant de chœur, j'étais d'une violence inouïe.

Nos chambres se faisaient face. Nous avions toujours eu la nôtre. Les meubles d'enfant, ou les jouets, nous suivaient au cours des déménagements. Nous ne mêlions pas nos affaires; je ne récupérais pas les vêtements ou les livres de ma sœur. Ma chambre était propre et rangée, du bois clair et des rayonnages alignés; la sienne était un fatras sans nom, de fringues, de disques, de livres ou de magazines. Ma sœur ne jetait rien.

Moi, j'étais déjà maniaque. Je ne gardais rien d'inutile, paperasse ou magazines partaient dans de grands sacs-poubelle deux fois par an, comme si je me dépouillais d'un trop-plein. Plus je rangeais, archivais, jetais, plus elle se lestait d'objets parfaitement inutiles. C'était une vraie maladie. Pourtant son désordre ne me dérangeait pas. Au milieu de l'appartement organisé il échappait à la famille, au moins quelque chose clochait, comme une verrue sous le pied.

Chaque chambre avait son univers, tout un monde.

Je dansais sur les tubes du moment, *en rouge et noir j'exilerai ma peur*, le disque passait en boucle depuis l'été. Je répétais les chorégraphies devant la glace, pourtant je n'avais pas l'esprit fan de, pas de posters de chanteurs ou d'acteurs à la mode, pas de magazines pour ados, juste Charlot et le Kid en noir et blanc, et plus tard une affiche criarde des Doors. Dans la chambre de ma sœur il y avait une adoration pour le cinéma hollywoodien, les actrices glamour et les acteurs grande classe, Louise Brooks, Ava Gardner, Grace Kelly, Fred Astaire et Gary Cooper. Marilyn Monroe bien sûr. Elle aimait la magie de cette époque-là. *Les Ensorcelés*, *Vertigo*, *Diamants sur canapé*, *Pandora*. Et aussi *Les Demoiselles de Rochefort*. Le carton-pâte et la guimauve, l'entracte et le grand spectacle, la femme fatale et le gentleman cambrioleur.

Le 29 novembre 1986 elle pleurait la mort de Cary Grant. River Phoenix dans *Stand by me* me bouleversait.


Je m'enfermais dans ma chambre, avec des secrets et une vie intime. Je m'habillais toute seule et je me déshabillais dans la salle de bains. Je cachais le sang qui tache le linge. Ma mère volait la clé de ma chambre en représailles. Je bloquais ma porte avec des dictionnaires et je glissais mon journal intime dans la doublure d'un manteau. Je devenais une énigme.

Je passais des heures à rêvasser. Je ne faisais rien, assise sur mon lit je m'inventais des héros beaux et gentils, forcément vulnérables, j'avais un imaginaire fécond, mais bridé, j'étais une tête sans corps, d'ailleurs je ne faisais aucun sport, je soufflais comme un buffle en course d'endurance et j'avais des crises d'asthme. Pourtant j'avais des désirs secrets de dépense physique, voire d'exténuation. J'aimais l'effort, dans ma chambre je m'entraînais à faire le grand écart, à décharger l'adrénaline. Je n'évacuais pas assez l'espèce de torrent bouillant en moi, le couvercle vissé sur la marmite. Je rêvais de compétitions et de victoires à l'arraché, de podiums et de médailles. Dès la rentrée j'accompagnais une amie à des matchs de volley-ball, je l'encourageais des gradins, j'aimais l'odeur des gymnases, le cuir des ballons, la sueur des tee-shirts. À l'école je fuyais les cours collectifs, je loupais toutes les balles et on ne voulait pas de moi dans les équipes. Mon corps était lourd, sur les barres asymétriques il pesait une tonne, il n'était ni souple ni mobile, j'y allais au forceps pour soulever ce poids mort.

Je partais dans le froid à sept heures trente, avec une veste à capuche et un gros sac à dos. Je ressemblais au petit chaperon rouge ou à un escargot, sa maison sur le dos. J'avais de nouvelles choses à apprendre. Des langues, des sciences et des travaux pratiques. Le collège était loin de la maison et j'y allais à pied, je marchais très vite, à grandes enjambées.

À l'automne l'école sentait bon l'humus, la terre riche des sous-bois tout proches, avec ses champignons sauvages et ses marrons éclatés sur le sol. Les feuilles de châtaignier ou de chêne trempées dans la peinture et collées sur les pages d'un livre, c'était l'enfance qui me revenait dans le nez. Le vélo à trois roues dans les bois de Clamart et les promenades en famille le dimanche.

En cours je dessinais sur du papier kraft, des galets ou des masques en carton. J'étais maladroite, j'avais perdu la main depuis l'enfance, quand je peignais à grands coups de pinceau des flaques de couleur délavées, j'y allais d'instinct, j'écrasais la lumière et les pinceaux sur la toile.

Ma sœur dessinait des arbres avec des racines-fleurs multicolores, que je copiais. Il y avait dans notre famille un goût pour la peinture, des vocations féminines contrariées. Ma mère se risquait parfois au dessin, elle s'achetait des livres et des boîtes d'aquarelle, elle préparait des esquisses, j'étais sûre qu'elle était faite pour ça. Elle avait l'œil du peintre. Je le lui disais, mais je crois qu'elle ne voulait pas faire son bonheur. Ma grand-mère peignait, il n'y avait que ça dans sa vie, et c'était la seule chose à partager, sa petite part de générosité. C'était sa seule reconnaissance aussi ; on avait proposé de l'exposer dans des galeries, mais elle avait refusé. Je crois qu'elle avait peur.

Ma mère ne travaillait pas. Lorsque je rentrais de l'école, je la trouvais dans l'appartement vide. Elle m'attendait avec un pain au chocolat ou une brioche au sucre. Je sentais sur sa peau l'odeur du fauve en cage. Elle ne sortait pas beaucoup. Je l'imaginais avachie dans un fauteuil avec le chat comme chaufferette. Elle portait un pantalon de velours resserré aux chevilles, un pull-over déformé sur une chemise d'homme. En ma présence elle s'affairait toujours, mère modèle, mais la pile était usée, elle se pliait comme nous à la chronologie des événements, aux rituels immuables des repas, des courses et du ménage. Elle avait quarante ans et nous lui échappions un peu plus chaque jour. Souvent je m'installais dans la cuisine, je la regardais préparer le repas, comme un matou gourmand, je m'enroulais autour d'elle, en chorégraphiant ses gestes. Je humais les casseroles, goûtais du doigt les préparations ou ajoutais une pincée de sel. Je la regardais aussi repasser les vêtements ; tout prenait place, déplié, défroissé, lissé, replié, en petits tas méthodiques et chauds sur lesquels le chat siamois se lovait.

Ma sœur est née le 18 novembre 1970.

J'imaginais très bien les fées penchées sur son berceau : regards ébahis des grands-parents se disputant la filiation de ses traits fins, de son nez retroussé et de ses charmantes fossettes. C'était écrit là sur les photos où elle jouait l'enfant star. Mais plus loin, au-delà des sourires, il y avait inscrit au fond des yeux une lueur sombre, un éclat d'inquiétude comme si elle pressentait un fardeau déjà lourd à porter. Ses sourires d'actrice n'attendaient que de belles images.

Fin 1986, elle avait seize ans.

Tous les garçons se retournaient. Elle ressemblait étrangement à Ingrid Bergman filmée de près, dans *Les Enchaînés* et *Casablanca*. Son regard trouble de myope accentuait le côté mystérieux et opaque de son visage fin mais plein. Elle ne mettait pas ses lunettes, préférant plisser les yeux. Elle soignait son apparence et suivait la mode dans les magazines féminins qu'elle collectionnait et amassait dans sa chambre. Je me souviens d'un manteau en tweed gris et blanc et de pulls chauve-souris. De lainages délicats et de teintes soyeuses. De parfums sur ses cols de chemise, Anaïs Anaïs et Magie noire. Ma sœur était presque sur toutes les images. Elle apparaissait comme une icône orthodoxe, une vierge à l'enfant auréolée d'un ciel mordoré. Elle prenait la lumière comme personne. Ça brillait, ça scintillait, c'était clinquant. À côté je faisais pâle figure. Je portais des lunettes qui mangeaient tout le visage. Une monture bleu lagon assez voyante. J'avais poussé en herbe folle pendant les vacances, j'avais poussé sans la rattraper, car elle gardait une longueur d'avance, une bonne tête d'écart. J'enflais comme une grenouille à ses côtés.

À présent on nous confond en âge.

Ma sœur n'a plus grandi, elle a la maladie de l'enfance. Elle a gardé une voix de fillette, celle qui vient de loin, celle qui la ramène à la nuit. Elle mâchouille ses lèvres au sang, elle fait la moue, et je la vois petite fille.

Certaines nuits ma sœur parlait une langue que je ne comprenais pas. Des mots mêlés comme une bouillie de sons, une langue germanique qui lui échappait dans son sommeil. Je comprenais sa peur, et un mot qui revenait sans cesse, chaque fois, comme un ressac. Je craignais de m'endormir et de me faire piéger dans la nuit. Je repoussais l'ombre. Je m'approchais pas à pas de son lit. Elle dormait la bouche ouverte, elle bavait un peu sur l'oreiller, je m'asseyais à ses pieds en silence, elle murmurait et se retournait, elle sentait ma présence. Je faisais pareil avec ma grand-mère, lorsque je dormais chez elle, j'entendais son souffle lourd derrière la cloison, qui me berçait, j'avais peur de la mort qui prend dans la nuit, je la voyais vieillir au corps qui s'affaisse et je savais le temps compté. J'étais sans cesse en danger, j'avais peur des téléphones qui annoncent des mauvaises nouvelles, des voitures qui fauchent au bord des routes, des avions qui n'arrivent pas, je n'aimais pas savoir ma mère dehors.

Le soir je guettais la lumière sous la porte de ma sœur, et je rejoignais sa chambre et son lit. Allongée contre elle je repoussais les ombres, les fantômes et les araignées collées au plafond. Nous discutions une partie de la nuit, je n'avais jamais sommeil. Dans ces moments-là elle n'avait plus de secret pour moi. Elle ouvrait les vannes et déversait sur moi ses phobies. L'adolescence l'emprisonnait. Elle n'aimait plus ses jambes et ses pieds tordus, son nez cabossé et ses ongles mous. Elle avait perdu la beauté de son corps et une part d'innocence. Il y avait le regard des hommes qui fabrique tout avec l'usine à rêves. Dans la rue, elle tendait le cou comme une girafe et marchait sur la pointe des pieds, aux aguets. Elle avait peur et je communiais avec elle.

Au chaud, sous la couverture, j'allais à l'encontre de la sécheresse, des torrents de boue et de désamour. Près de ma sœur, je brisais le maléfice qui pesait sur nos familles, sur la tête des femmes. Je signais un pacte de sang. C'était un vœu pieu. Les choses ne sont pas réversibles. Le rouge reste rouge, et j'apprenais à nager seule avec des semelles de plomb et une ceinture de force autour des reins. Les femmes sont comme des seiches. Des squelettes de seiches sur le sable, légers si légers.

Ma sœur ne sait pas pour le sang. Nous n'avons plus de conversations. Nous parlons une langue morte, confite de sel.

À Noël l'appartement était une fête. Le sapin sentait bon et fort la forêt et la montagne. Ma mère organisait la féerie, elle disposait les guirlandes, les anges de papier, les figurines en bois, l'étoile à la cime de l'arbre et le papier argenté. Les cadeaux enrubannés prenaient place à côté des sabots sculptés. Je les comptais chaque année.

Nous restions entre nous, le cercle intime, et c'était suffisant.

Le rituel commençait par la cuisine, ma mère était aux fourneaux pour des plats qui mijotaient. Elle s'y activait depuis la première heure. C'était son rôle et sa place. Il n'y avait pas de traiteur ni de micro-ondes. Les gestes étaient précis et minutieux, sans fébrilité, ils me rassuraient.

Ma sœur se préparait dans sa chambre. Elle sortait à la dernière minute. Je la suivais dans la salle de bains et je m'asseyais sur la cuvette des toilettes. Elle alignait sur la tablette du lavabo, face à la glace, ses produits de beauté (mascara, rouge à lèvres, gloss, ombre à paupières, fond de teint, poudre aérienne, cache-cernes, blush, eye-liner, vernis à ongles, paillettes, laque) et une sélection de bijoux à coordonner avec les vêtements (barrettes, boucles d'oreilles, bagues, colliers, bracelets). Je la regardais appliquer un à un chaque produit, le teint s'unifier, le regard s'éclairer, les lèvres rosir, puis venait le moment de l'habillage. Un bustier sur une jupe noire, un cache-cœur sur un pantalon fluide, une robe décolletée. Elle hésitait, je la conseillais. L'heure tournait. Elle finissait en quelques gestes précis. Les cheveux ramassés en arrière. Un nuage de parfum. Un dernier regard dans la glace.

Ma mère grignotait des petits-fours en nous attendant. Nous mangions un canard à l'orange et des profiteroles au chocolat, une spécialité maison. La pâte à choux était parfaite, le chocolat noir juste fondant. Nous étions sages pendant toute la soirée.

Des petites filles modèles. Sur tous les clichés.


Noël 1978.
Ma sœur a le visage triste de celles à qui on donne tout, jamais rassasiées. Habillée en princesse (ou dans d'autres circonstances en reine des fées, pierrot espiègle, danseuse étoile), une couronne en carton-pâte, dorée au pinceau, sertie de faux diamants, un caraco rouge sur une chemise à manches bouffantes resserrées au poignet, une longue jupe en velours bleu sur un

jupon en tulle, un collant épais assorti, des souliers vernis. Et, bien sûr, une baguette magique en forme d'étoile. Elle rayonne, ma jolie princesse. Pourtant, il n'y a rien d'autre qu'une enfant déguisée, pas d'enfant prodige, de chien savant, je le vois mieux à présent, que tout cela tient à pas grand-chose, à sa seule beauté, l'injustice est là dans son regard insolent. Assise sur ses genoux, dos à l'appareil photo, je tire une de ses tresses... j'attire son œil ou celui de l'objectif. Je suis sûre que j'ai une folle admiration pour elle, à ce moment-là, une folle envie qu'elle baisse son regard de princesse vers moi. Je suis un petit soldat à ses côtés prêt à la protéger.

Noël 1990.
Ma sœur sourit comme une star de cinéma, les lèvres laquées sur des dents très blanches. Elle sort le cou d'un bustier en velours rouge, les mains sur les hanches, fines, moulées dans une jupe courte. Elle me dépasse d'une tête avec ses hauts talons. Elle a de la classe. (J'aimais beaucoup ce bustier avec son gros nœud sur la poitrine, comme un cadeau de Noël. Je l'avais essayé une ou deux fois sans le lui dire, je le remplissais mieux, la poitrine bien prise, mais je l'ôtais aussitôt.) Les guirlandes clignotent dans le décor, elle regarde l'objectif comme si elle en captait la lumière. À ses côtés, je joue la diva, je bombe le torse, petit animal maladroit, faussement maquillé et apprêté : le fard est fade, les lèvres à peine rosies, les bijoux discrets, les tissus

en couches successives dissimulent le décolleté et la courbe des jambes. Il n'y a pas un centimètre de peau nue. Je porte une jupe grise et un chemisier beige. Des chaussures pointues avec de grosses boucles argentées à la Henri IV.

Ma sœur a vingt ans. J'aime la blancheur de sa peau, et ce cou qu'elle tend vers l'objectif, elle me paraît étrangement mince, voire maigre. Son visage est presque émacié. Une beauté amaigrie.

Noël 1998.

De trois quarts, les mains sur les hanches, petite robe noire et bijoux fantaisie, sourire esquissé, j'ai froid sous mon grand châle, et je n'aime pas les photos, collants résille et chaussures à talons, j'ai enfilé des pantoufles bleu ciel, voilé mon décolleté pailleté et ôté les boucles d'oreilles, le rouge à lèvres a un peu bavé sur les coupes de champagne, j'ai la tête qui tourne, je tiens ma sœur par la taille, le flash crépite, les cadeaux nous attendent. Je me sens comme un objet encombrant, un sacré poids lourd. Ma sœur a sorti le grand jeu.

Noël 2004.

Ma sœur se transforme en Mary Poppins et moi en cendrillon pour une soirée déguisée. Je n'ai pas de pantoufles de vair. Je me glisse dans ses vêtements, le bustier rouge, la jupe en tulle noire, l'étole brodée. Elle poudre mon dos et ma poitrine. Je mets des paillettes et des roses en papier, une fausse couronne sur la tête, et un grand collier doré. Nous dansons toute la nuit. Je montre mes bras et ma gorge nus. Et je lui rends ses sourires.

J'adore ses sourires. Elle est ma star de cinéma. Mais sa lumière est précieuse et rare, la flamme est fragile. Elle ne me laisse que sa part d'ombre.

Après les fêtes, ma sœur m'emmenait dans un centre commercial, sur un stand on me fit deux trous, c'était rapide, comme un pincement très fort, et j'étais fière des petits clous qui empêchaient la chair de se refermer. C'était un vrai truc de filles. Elle m'a offert des boucles d'oreilles, et plus tard une eau de toilette et un rouge à lèvres Nina Ricci.

J'aimais ses bijoux trop sophistiqués pour moi. Je fouillais dans son vanity case. Je furetais dans ses tiroirs. J'essayais les robes, les hauts échancrés et la belle lingerie. J'avais déjà plus de poitrine qu'elle, mais elle n'existait pas, comme un corps fantôme. Ce n'était même pas un corps blanc, celui qu'on vous coupe mais que vous sentez vivant, puisque je n'avais aucune sensation.

Dans le placard de ma mère, il y avait des chaussures, des sacs et des foulards qu'elle ne mettait jamais. Elle n'avait presque rien conservé des années soixante-dix, petit ciré rouge, manteau en peau retournée ou pantalons pattes d'éléphant. Il y avait une paire que j'aimais beaucoup, de superbes escarpins vernis, et des grandes bottes en cuir épais. Je les enfilais, perchée sur les talons je défilais devant la glace.

Ma mère ne se maquillait pas. En 1986 elle avait trente-neuf ans. Elle ne portait pas de bijoux ou de lingerie fine. Elle se parfumait discrètement. Elle n'achetait plus de jupes ou de robes depuis longtemps. Pourtant, dans ses écharpes, je retrouvais son parfum et l'odeur de sa peau me suit depuis l'enfance, fauve et musquée. Pourtant, j'enfouissais ma tête dans sa poitrine plate en gant de toilette comme dans quelque chose de chaud et de doux. Sa peau était souple, surtout la paume des mains et le visage duveteux.

Lorsque ma sœur a cinq ans, ma mère a encore ses longs cheveux noirs qui ondulent sous les reins, une minirobe parme, de grandes bottes en daim et un manteau beige en peau retournée. Sur la plage des vacances, elle pose en maillot deux pièces, la taille fine, la silhouette élancée. Pin-up des années soixante-dix. Je la trouve infiniment belle. De plus en plus belle sur les clichés. Les cheveux un peu raccourcis, parfois crantés, parfois auburn. Je me demande quand elle s'est laissé rattraper par cette voix qui lui interdisait de se voir telle que je la voyais. Les bijoux elle les a ôtés, elle a enfilé des pantalons, des chaussures plates, elle a fait place nette comme si ce n'était plus de son âge et qu'il lui fallait passer la main.

Je n'ai jamais eu de conversation de fille avec elle. Comme elle n'a jamais eu de conversation de fille avec sa mère. Elle croit trop aux malédictions. Il paraît qu'on se ressemble, la forme du visage, carré, le sourire et la voix grave. Le sourire, c'est ce que je préfère, mais dans ces années-là je ne me souviens pas de ses sourires. Surtout pas de ses rires. Nous n'étions pas légères. Tout était grave, sans effet de surprise. Je ne connaissais aucun abandon. J'étais un poids qui chute sur une moquette épaisse, ou une lame dans du papier bulle. Ma mère ne dansait pas et ne chantait pas. Il n'y avait pas de musique à la maison, juste *La Boîte de jazz* de Jonasz, Ferrat et Brassens.

Ma mère avait un grand-père russe qui jetait les verres de vodka à la figure. Il faisait des blagues de gamin, se taillait sur mesure un costume à quatre-vingt-dix ans. Elle l'aimait beaucoup, c'était son enfance joyeuse.

Cette part d'enfance elle la préservait pour moi. Elle sentait le danger autour de moi, et l'injustice. Elle se devait de réparer avec ses moyens.

Chaque matin elle m'apportait mon petit déjeuner au lit, le chocolat au lait et les tartines beurrées sur un plateau. J'étais une princesse. Je suis toujours la princesse au petit pois. Les matelas sont épais et moelleux mais je ne sens que le galet glissé sous l'attelle du lit. Elle m'achetait des robes fleuries que je jetais dans un tiroir. Je sortais le cheveu gras et le pantalon large sur les hanches. J'avais le visage fermé. Je ne lui parlais pas. Je n'étais pas douce avec elle, ni même souple. J'étais le chêne plutôt que le roseau. Pour moi, elle faisait barrage avec le monde. Elle était contre moi.

Ma mère voulait me garder dans l'enfance.

Aujourd'hui elle a l'âge d'être grand-mère. Elle ne fait rien peser sur ma tête, mais je voudrais poursuivre le fil pour elle. Lorsque mon sang s'égare elle seule entend.

Ma grand-mère avait soixante-deux ans. Je la voyais centenaire. Elle piquait comme un oursin, mais c'était plutôt un porc-épic, les épines rentrées sous la peau, prêtes à se retourner. Une carcasse lourde à porter, des os qui pesaient des tonnes, tout fout le camp dans un corps qui vieillit mal. Les mains rêches, des mains de travailleuse qui ne caressaient pas, ne s'égaraient pas sur la peau des autres. Des lèvres sans murmures ni baisers. Pourtant je l'aimais bien. Nous n'avions pas de haine en nous. Elle venait parfois nous rendre visite. Faire son petit tour d'inspection. Elle soulevait les coussins, jugeait l'épaisseur des matelas, reluquait les habits. Nous étions figées comme des statuettes, décidées à faire bonne impression. Ma mère se mettait en quatre, en vain. Il y avait toujours quelque chose qui n'allait pas. Un ourlet mal fait ou un plat trop chaud. Elle prenait tout en plein visage, ne pouvant risquer l'irrémédiable, la rupture définitive, elle avait le sens du devoir. Elles ne se voyaient jamais en dehors autour d'un thé à la menthe et de petits gâteaux. Ma grand-mère complimentait ma sœur de perles et de miel, mais celle-ci me lançait un œil complice. Ce n'était que de la boue, des mots boueux, qui ne pouvaient rien contre nous et nos liens indéfectibles. Nous faisions bonne figure et barrage derrière notre mère.

Ma mère était une petite fille devant elle. Elle perdait ses moyens, elle avait la frousse, mais c'était une louve. Pour nous elle l'aurait mordue au sang.

J'aimais ma grand-mère comme une chienne. Ma truffe furetait sa main. C'était une peau de vache, mais je me frottais à son cuir rugueux. Je n'étais pas prête à la lâcher.

Je l'avais vue se déshabiller, ses seins tombaient à plat, elle tenait une minuscule serviette devant son sexe. J'aurais voulu lui donner du sang neuf, des nerfs et des muscles, et une peau lisse comme un nouveau-né. Elle était si loin de l'enfance. Elle en avait perdu le goût et l'odeur depuis des lustres.

À présent, elle ne marche plus, ses jambes flageolent, sa mémoire n'est qu'un trou, et elle se nourrit de bouchées de pain trempées dans du lait chaud. Je ne la vois plus depuis deux ans. J'ai fait une croix sur sa poitrine.

Ma grand-mère me trouvait stupide. À ses yeux j'étais inutile puisque je jouais des heures sur la terrasse ou je tournais à vélo dans les bois. Je n'avais aucun mérite, aucune médaille à afficher sur le torse bombé. J'enfonçais des portes ouvertes, ma sœur passait toujours devant moi avec ses diplômes. J'étais trop sentimentale aussi, si je soignais un oisillon tombé d'un nid, elle le jetait aux ordures avec les restes du repas.

Mine de rien, d'un air de fouine, elle me demandait si j'aimais ma mère. Je la regardais intensément, je photographiais son visage, les rides de ses joues, le regard gris acier, les lèvres minces, pour ne pas oublier. Dans ma mémoire il y a une case, et elle a sa place dans cette case. Elle a le sang noir, le sang venin.

Je suis née le 30 mars 1975.

Je suis née quelques jours après la mort de mon grand-père. Ce fut une mort violente et inattendue. Je ne l'ai jamais connu, même pas une poignée de secondes, je ne garde de traces que les photos, pas de voix ou de démarche, de gestes qui impressionnent la mémoire, et les visites au cimetière sur une tombe de famille bien nette, fleurie de rosiers et de chrysanthèmes. Trois ou quatre fois par an, nous venions ratisser les bordures, arranger les arbustes, arroser les plantes. Ce n'était pas triste, je suis arrivée après les larmes. Sur certains clichés au film déjà jauni il tient ma sœur dans ses bras, il est grand-père pour la première fois, il a l'air ému et surtout très gentil, il a l'air d'un homme de bien. Je sais que je l'aurais aimé pour sa droiture et ses mains de menuisier. Ma sœur l'adorait, lorsque je suis née elle a souffert plusieurs jours de fièvre et d'hallucinations, elle voyait dans sa chambre des ombres menaçantes et des insectes grouillants, elle est devenue une petite fille inquiète et suspecte, dans sa vie il y avait une vie ôtée pour une vie offerte, on lui avait pris son grand-père adoré et à la place on lui donnait une sœur qu'elle n'attendait pas. Pourtant, le monde n'a pas tourné autrement.

Elle était dans le ventre de ma mère sur la photo de mariage. Elle est le ciment, la fondation de notre famille. Celle qui a précipité une union de familles étrangères. Elle était là aux origines de notre généalogie. Je suis une enfant de l'amour, je suis arrivée dans ce monde ordonné, ce rêve de couple qu'elle a permis.

Ma sœur ressemble beaucoup à grand-père, c'est ce qu'on dit, de ses traits fins et de son élégance naturelle, qui ne peuvent être du côté de la mère. Jeune homme, sur une photo d'époque, il a un air confondant avec Fred Astaire, le même visage souriant et le corps gracile et délié, cintré dans un costume trois-pièces, une rose épinglée à la boutonnière. Il dansait comme un prince aux bals du Plessis-Robinson et sur les bords de Marne.

Comme je donnais des coups de pied furieux dans le ventre rond, on attendait la venue d'un petit footballeur prénommé Jean-Maurice. Jean et Maurice comme nos grands-pères. Mais ce fut moi et un prénom tombé du ciel, sans ascendance. Ma sœur avait hérité le sien d'une arrière-grand-mère qui apparaissait sur des photos du siècle dernier. Je me faisais l'effet d'un parachute. Il me fallait mener l'enquête et rechercher les preuves du sang et de la filiation. Je redessinais l'arbre généalogique, j'avais commencé par celui des dieux grecs et romains, peu à peu je m'intéressais à l'histoire familiale. Je recueillais les témoignages des ancêtres, je dénouais les liens, je faisais le siège d'une mémoire étrangère. À onze ans je devenais le scribe de la famille.

Mon sang est universel. Je suis O négatif. Ma famille est O positif, elle ne peut rien pour moi. Un rhésus nous sépare. Si je perds mon sang je devrai me métisser.

Le 18 novembre 1979, j'avais quatre ans.

J'étais une enfant hilare. J'avais les cheveux courts, à la moujik, et un arc en bois à la main ; je posais avec mon trophée. Assise sur les genoux de ma sœur, petit bouddha ventru ballottant les pieds dans le vide, une nouvelle fois je levais les yeux vers elle, en tenue de princesse rose pailleté, le sourire vers l'objectif je tirais la fausse natte qui dépassait de sa couronne, mais elle restait impassible. C'était son anniversaire et elle était la reine du jour. Pourtant ce n'était pas l'objectif que je recherchais, mais son regard. Je respirais l'enfant facile. Solaire. Une peau blanche, qu'on protégeait du soleil à coups de crème et de parasol, des cheveux de paille blondie, un corps joliment potelé et chatouilleux. Je me mettais dans un coin avec mes Playmobil et je m'absorbais dans une histoire : la terrasse était mon terrain de jeux, les dalles délimitaient les maisons, les interstices traçaient des chemins, les pots de fleurs abritaient des fées, j'avançais mes personnages colorés, je leur prêtais ma voix et mes histoires. C'était avant l'école et les livres, avant l'apprentissage de la sagesse. Solaire et solitaire. L'enfant triste, l'enfant fantôme, personne ne la soupçonnait.

En famille je trompais mon monde. Je faisais le bélier, la tête la première, mais à l'intérieur je n'étais pas fière. On me voyait forte et dure mais j'étais une petite fille. J'étais une sang bleu. Une fleur des champs, un coquelicot. J'avais encore besoin des bras de ma mère et des sourires de ma sœur.

Quand j'étais petite, ma sœur me faisait tourner en bourrique, elle me dominait de son âge et de sa beauté, elle avait une sorte de puissance physique. Elle était beaucoup plus forte que moi, que mes os denses et lourds, elle nageait deux kilomètres dans la mer à contre-courant, elle suivait des cours de tango, salsa, danse orientale, modern jazz, tai chi, aérobic, aquagym, jogging, tennis.

Dans ma famille les femmes s'offrent en héritage un amour bancal, un amour à cinq pattes. D'une génération à l'autre le fardeau passe de main en main. Personne ne prend le chemin à rebours et ne se défait de la malédiction. Il n'y a aucune transmission, aucun truc de filles qu'on s'échangerait sous la couette en rigolant.

La douceur n'est pas toujours du côté des femmes.

Lorsque ma grand-mère me peignait les cheveux c'était du crin dans ses mains. Elle arrachait de pleines poignées. Elle n'embrassait pas, elle ne prenait pas dans ses bras, c'était un arbre sec. Ma mère se battait avec un pic à glace pour que le froid ne la recouvre pas. Ses lèvres étaient fraîches, mais ses yeux brûlants.

Ma sœur me caressait parfois les cheveux. C'était un de ses seuls gestes d'amour. Elle ne me bisoutait pas, même enfant, pourtant mon petit corps potelé devait faire envie, à dévorer de suçons, les joues, le ventre et les fesses rebondis.

Le baiser était déposé sur le front que je cachais derrière une frange raide. J'avais perdu mes cheveux d'ange, la mousse soyeuse de fils d'or. Je posais ma tête sur ses genoux, attendant la caresse affectueuse de ses doigts, et je courbais l'échine dans un geste d'abandon qui la désemparait. Quelque chose m'échappait là, près d'elle, inviolable et préservée, que je gardais serré au fond de moi.

Elle ne me disait pas que j'étais sa jolie princesse.

Un jour, j'avais trouvé en fouillant dans ses affaires un dessin de moi qu'elle avait crayonné rageusement. Les lunettes, la coupe de cheveux, les traits épais, le nez fort, la disgrâce, là, jetée à la figure. J'en souriais, ça ne m'étonnait pas.

Depuis toujours j'étais l'enfant borgne. L'enfant-cyclope. La paupière gauche gonflait dans la nuit, et je me réveillais avec l'œil fermé, comme scellé et boursouflé, c'était une maladie étrange, ma mère m'emmenait chez le médecin et on me dévisageait comme un animal dégoûtant. J'avais la rubéole, la varicelle, la rougeole, j'avais de grosses amygdales et de petites verrues sur les doigts, je restais alitée deux semaines avec de la fièvre et un torticolis, le sang empoisonné, je tombais la tête la première sur des cailloux à la montagne, mais je me sentais forte et robuste. On disait que j'avais la carrure d'un sportif, un corps de brute contre le corps délicat de ma sœur. Pourtant elle était plus résistante, elle n'était jamais malade, elle ne souffrait d'aucune maladie physique. Si elle était fragile, c'était les nerfs. Ses petits nerfs en pelote. Cette peur de tout, des autres, de la vie, et cette peur d'elle-même l'ont peu à peu immergée. Chaque indulgence a lesté ses poches de pierres. La peur m'a gagnée à mon tour, comme une éponge j'ai gonflé à plus soif, j'ai attrapé sa maladie.

Je regardais sous mon lit chaque soir avant d'éteindre la lumière. Plusieurs fois de suite. Je suçais encore mon pouce. J'avais le palais déformé à force. J'avais peur aussi des araignées, des faucheuses qui tricotaient sur ma tête et des noires épaisses et poilues. Parfois je réveillais ma sœur dans la nuit, insistante, comme un chat dans les pattes, pour qu'elle en écrase une sur le papier peint, je ne pouvais pas fermer l'œil, tendue et aux aguets. Quelquefois elle se levait et saisissait un balai, souvent elle se retournait dans son lit en gémissant et j'allumais toutes les lumières de ma chambre, je défaisais les draps, repoussais les oreillers et j'attendais au centre du lit.

Enfant, j'avais de mauvais rêves, des peurs nocturnes, je me réveillais dans la nuit et me glissais dans l'appartement. Je ne savais plus où j'étais, il faisait noir, je me cognais contre les meubles et j'étais seule. Je poussais un cri. Elle venait me chercher et je m'endormais au chaud tout contre elle. On avait offert à ma cousine un mille-pattes lumineux, ça l'avait aidée, moi je suçais mon pouce sous la couette comme une goulue. J'avais des rêves cannibales, des mains m'agrippaient pour me dévorer, sucer mes os, fouiller ma chair, comme dans *La Nuit des morts vivants*.

Il n'y a pas longtemps, j'ai perdu mon sommeil et mes nuits, je n'arrivais plus à m'endormir, je me retournais dans mon lit, j'étais épuisée, parfois je voyais une ombre se pencher sur moi, j'en sentais le frôlement, je me réveillais à l'arraché, mais il n'y avait rien derrière la cloison ou sous le lit.

Le sang me fait peur, celui des veines et du cœur. Ça me prend dans les tripes quand j'y pense. Je n'arrive pas à donner.

Le week-end nous ne sortions pas beaucoup, à peine un cinéma ou une exposition dans l'année. Nous regardions les films à la télévision, le dimanche soir, *La Rivière sans retour*, *Les Trois Mousquetaires* ou *Rio Bravo*. Souvent nous prenions la voiture et nous roulions en pleine campagne à des kilomètres de la ville. Après les zones industrielles, il y avait des champs et des fermes. Nous visitions des maisons témoins dans des villes nouvelles. Des maisons préfabriquées alignées de chaque côté de la rue et délimitées par un muret de briques nues. Il y avait encore du plastique aux fenêtres, de la peinture fraîche, des traces de camions, une odeur de colle sous la moquette, le jardin était en friche, mais ça sentait le propre. C'était peint en blanc et rose saumon. J'attribuais déjà les pièces à chacun et à chaque tâche. On revenait le soir avec des documents et des plans sur la comète. Puis on oubliait et on rangeait tout dans un tiroir

Je me sentais assiégée dans l'appartement.

De plus en plus souvent j'avais des pincements au cœur, des points dans la poitrine. En course d'endurance je ne tenais plus la route, je m'arrêtais le souffle coupé, et je n'avalais rien, l'air était sec et rare comme dans un désert saharien, je pensais mourir. Parfois c'était juste une gêne au côté gauche. Je ne savais pas d'où ça venait. Ce n'était pas de l'asthme ou un souffle au cœur, le médecin m'avait examinée, ça ne s'attrapait pas, ça venait de ma tête, d'un mauvais pressentiment, d'une journée sans soleil, d'un examen raté et ça me prenait soudain, ça prenait là dans ma zone obscure, celle qui m'échappe.

Ma mère s'employait autour de nous à passer le temps. Mais elle étouffait aussi. Elle avait des crises terribles, des spasmes au cœur. Le médecin débarquait dans la nuit avec sa mallette et ses médicaments de secours. Il l'auscultait rapidement et la couchait, il ne la bordait pas, ne la prenait pas dans ses bras. Le lendemain on n'en parlait pas, ce n'était pas grave.

Nous tournions en rond, comme un chien après sa queue. Il n'y avait plus d'exils possibles puisque ma grand-mère avait vendu la maison de campagne, plus de retrouvailles familiales autour d'un barbecue et de jeux de société. Il y avait eu l'enfance dorée, le vert paradis des amours enfantines de Baudelaire ; le temps couleuvre, le souffle chaud de l'été, la chasse aux papillons, les escargots en cage, la cueillette des champignons, la pêche des bords de Loire, les pieds dans l'eau, la fraîcheur des tilleuls, les siestes dans l'herbe haute, le jus chaud des cerises, le potager piqué de glaïeuls et de dahlias, le cochon pendu à la balançoire, les petits chevaux de bois, l'arc et les flèches, la voiture en plastique orange. Sur les photos, nous sommes gaies. Nous avons en partage cette enfance-là, ma sœur et moi. Cette enfance que je n'avais pas envie de quitter. La rupture vient d'un corps qui quitte l'enfance à onze ans.

D'un corps qui s'asphyxie, le sang ne remontant plus au cœur.

Ma sœur prenait l'air. Elle vivait sa vie sans nous, comme Vicky dans *La Boum* qui repassait à la télévision.

On l'attendait une partie de la nuit. Tous séparément dans nos lits. Elle était toujours à l'heure. On allait la chercher, en bas des immeubles, on tournait en rond, dans la voiture. Je l'entendais rentrer, je m'endormais très tard. Parfois elle faisait du bruit, elle avait bu, elle se cognait dans le noir et allumait toutes les lumières, c'était la sangria qui lui montait à la tête. Une odeur d'alcool et d'agrumes qu'elle traînait derrière elle.

Lorsqu'elle quittait la famille, je l'enviais un peu. Elle partait avec sa classe à la montagne ou à l'étranger et revenait avec ses premières étoiles et des photos à développer. Pendant ce temps nous patientions, les repas étaient plus longs et silencieux, j'étais plus sage que d'habitude. À son retour, il n'y avait pas grand-chose à dire. Elle me rapportait un cadeau, une friandise ou une peluche. Elle m'offrait un joli calendrier de Boston. Elle avait une correspondante américaine qui habitait une maison immense, tendue de blanc et de rose. Je l'imaginais dans la maison de Barbie. Elle racontait son voyage par bribes, la nourriture, les magasins, les limousines. Presque rien. C'était un bloc opaque, une masse sombre que rien ne traversait. Il n'y avait pas d'extrême, en joie ou en douleur.

Ma sœur ne cherchait pas à verser le sang. Elle ne montrait aucune impatience à rompre les liens, à tailler dans le vif, à s'échapper. Elle devait pourtant avoir plein de rêves dans sa besace.

Je n'ai jamais entendu ma sœur crier. Elle n'élevait pas la voix. Il n'y avait pas de pleurs à la maison. Les anges passaient à table et il y avait une note à ne pas franchir, une ligne imaginaire de décibels. Nous ne parlions jamais trop fort, nous tenions la voix basse et grave. Parfois je mettais ma bouche entre mes mains et je poussais un cri qui s'étouffait dans mes paumes. J'étais exactement dans le tableau d'Edvard Munch, *Le Cri*.

À l'école ma sœur giflait une fille, ça me semblait énorme, presque inhumain, j'imaginais sa main dans l'air, détachée de son corps, claquer sur sa joue. Ça ne lui ressemblait pas. Ça lui avait échappé comme un corps étranger. Un jour je m'étais battue dans la cour de récréation avec une élève bien plus haute et costaude que moi, nos mains cherchaient à s'agripper, nous glissions l'une contre l'autre, comme deux catcheuses dans la boue. Mais d'habitude je faisais la taupe.

Ça ne m'empêchait pas de prendre des gifles. J'étais une tête à claques. Une fille sortait des toilettes du collège un mouchoir de sang à la main qu'elle me lançait à la figure. Une autre me bousculait dans les couloirs comme un bulldozer. Je ne leur rendais pas la monnaie de leur pièce. Je ne savais pas faire. Je savais les mots qui font mal, je pouvais répondre avec ma langue mais plus avec mon corps. J'étais mauvaise, et je n'aimais pas, les mots n'étaient pas faits pour ça, ce n'étaient pas une arme ou un couteau.

Je ne prenais pas de place, je me faisais toute petite, et pourtant j'étais envahissante. Je voulais une place sans la prendre, ça troublait profondément mes rapports aux autres. Je voulais les gens pour moi. J'entendais les chuchotis dans le cou et derrière les portes, j'avais sans cesse les oreilles qui sifflaient, j'étais paranoïaque. J'imaginais tous les instants plus précieux que les miens. La paranoïa naît dans le silence et l'ennui de soi. C'est violent et étrange, ça use la tête.

C'est une maladie dont ma sœur ne souffrait pas. Elle n'aimait pas qu'on se colle à elle, elle n'était pas jalouse et se défaisait des liens faciles. C'étaient les autres qui s'amassaient à sa porte. Ça me rassurait, je gardais une place auprès d'elle.

En classe je ne levais pas le doigt, je baissais le menton ou je regardais ailleurs. Devant une porte fermée, je n'osais pas entrer, comme si j'étais en infraction. Je ne me mêlais à aucune bande. J'avais peu d'amis (Paul m'aimait bien, c'était un garçon curieux et intelligent, qui transportait au fond de son sac des merveilles et des petits trésors. Sophie faisait le chemin du retour avec moi, c'était une blonde nordique, fine comme une brindille, qui avait toujours un livre dans ses poches). Je préférais les amis de ma sœur. Je les connaissais tous. Ma sœur me trimballait avec elle un peu partout. J'étais une sangsue.

Valérie mangeait une pomme à midi et prenait des cours de théâtre le soir. Elle tournait de l'œil, un jour je l'avais entendue vomir dans les toilettes, je n'avais pas compris. Pour moi, c'était nutella et chocolat chaud tous les soirs. Petit déjeuner au lit. Paresseuse comme une couleuvre. Il y avait aussi les jumelles, Stéphanie et Maud. J'avais un faible pour Malik, sa peau dorée et sa sensualité algérienne. C'était un sang-mêlé, mi-français, mi-kabyle. Sa mère faisait des gâteaux au miel et des cornes de gazelle. Elle versait le thé à la menthe dans de petits verres colorés. Ses mains sentaient la cannelle et l'huile d'amande douce.

Malik participait à des galas. Il était champion de patinage artistique. J'avais de grands yeux amoureux au bord de la piste. Il portait une combinaison bleu acier qui moulait son corps de félin. J'aimais ses boucles noires, ses yeux de biche et ses longs cils. Sur les murs, il y avait des photos de compétition punaisées. Ses trophées fossilisaient déjà derrière une vitrine.

Je l'ai perdu de vue. Il est mort de son sang. Génération sida.


Ma sœur n'a plus ses amis. Je ne les imagine ni mères, ni pères, ni époux, comme elle. Certains sont devenus méchants. Un jour elle a défait les liens, elle a échappé à leur malveillance. Souvent je capte chez ceux qu'elle aimante de l'envie. L'envie de couper au cutter l'image lisse.

Ma sœur se rêvait en Shirley Temple.

Je l'avais vue en danseuse classique, les cheveux relevés en chignon, en tutu rose et chaussons blancs, et dans une mise en scène du *Petit Prince*. Elle jouait dans un grand théâtre et tournait avec sa troupe en province. Elle récitait son texte tous les jours. *L'invisible est essentiel pour les yeux, on ne voit bien qu'avec le cœur.*

Le samedi elle faisait du cheval, en région parisienne. Je la regardais de loin préparer sa monture, brosser délicatement l'encolure, peigner les poils de la queue, ôter la terre des sabots avec un grattoir, placer le mors et les rênes, attacher la selle, avant de monter à une hauteur impressionnante du sol. Elle rejoignait le manège, droite comme un i, avec son casque de velours noir, ses bottes et sa cravache. J'ai encore dans le nez l'odeur des étables, mêlée de crottin et de foin frais. En l'attendant nous partions nous promener dans la campagne et les bois environnants, quel que soit le temps.

Elle avait commencé l'apprentissage du saut d'obstacles, elle se débrouillait plutôt bien. Les chevaux me faisaient peur, je restais à bonne distance, une fois son moniteur m'a soulevée de terre pour m'installer sur un cheval, je me suis débattue, tout en riant, il m'a reposée et je l'ai presque regretté. Je me serais bien vue si haut. Petite j'étais montée sur des poneys pendant un an. Les poneys étaient courts sur pattes, leur ventre pendait comme une baudruche, j'aimais leurs yeux tristes et sombres – mais pas autant que ceux de notre chat. Les moniteurs étaient d'anciens militaires, ils fouettaient les poneys d'un coup de cravache et nous chutions l'hiver dans des flaques de boue. Je m'étais laissée glisser de la selle jusque dans la gadoue qui avait trempé mon anorak. J'avais arrêté en cours d'année comme nombre d'activités plus tard, théâtre, peinture, origami, sculpture, danse orientale.

Nous avons conservé le casque et la cravache, comme des trophées. Un jour j'ai compris qu'elle n'aimait pas les chevaux. Elle craignait leur regard fixe et leurs naseaux fumants. J'ai compris qu'elle jouait pour nous son rôle.

Moi je cherchais à me changer les idées. On ne m'attendait pas au tournant, j'avais une part d'insouciance.

À l'école, à l'heure du déjeuner, je découvrais le plaisir des mots. Je jouais la dame en violet dans *Knock*, ma mère m'avait acheté une tenue et des accessoires, des gants en dentelle noire, une canne-parapluie et un chapeau à voilette. Je récitais d'une voix basse et profonde. Je me sentais à l'aise, les mots ne me trahissaient pas.

Je prenais aussi des cours de danse. Je bougeais sur la danse des canards. On m'avait mise avec des grandes de quatorze ans. La professeur de danse s'asseyait sur notre dos quand nous faisions le grand écart pour nous assouplir. Nous portions un collant blanc et un justaucorps jaune canari. J'étais lourde, je détestais ces poils qui apparaissaient à l'entrejambe et que je savais mal épiler, ce sang poisseux et abondant que je perdais avant toutes les autres. La douleur me sciait le ventre.

En avril 1987 on voyait le vampire Klaus Barbie à la télévision.

L'appartement devenait un tombeau. Notre chat agonisait. Il crachait du sang sur la moquette. Il avait mangé du poison mêlé à des boulettes de viande. Il traînait sa carcasse dans les couloirs comme un vieillard. Je l'installais sur mon lit avec une musique douce, la B.O. du *Marginal*, et j'écoutais son cœur battre, la peur au ventre. J'avais partagé mon berceau avec lui. La caresse des chats est une douceur absolue. C'était ma douceur à ce moment-là, encore aujourd'hui je ne peux pas m'en passer.

Nous l'emmenions en vacances quand nous filions vers la ligne bleue de l'océan. À l'arrière de la voiture je tanguais comme sur un navire. Je tenais contre moi un sac en papier, froissé à force d'être serré. Je ne regardais pas les paysages défiler, je portais mes yeux dans le flou ou je m'allongeais sur la banquette arrière, le chat collé sur mon ventre, je caressais ses poils courts et drus, ses flancs haletants. Des filets de bave s'échappaient de sa gueule, et de sa voix rauque il miaulait pendant des heures.

Je n'étais pas toujours tendre. Je le tirais par la queue ou je lui donnais un petit coup dans les côtes. C'était un mâle robuste et bagarreur. Il chassait les oiseaux et les mulots à la campagne. Il rapportait dans ses crocs des bestioles encore vivantes, toutes chaudes. Quand il est mort je n'ai pas pleuré. J'étais un monstre sans larmes, puis la poitrine a cédé, d'un coup. On l'a mis au congélateur quelques jours, son corps était dur comme une pierre froide, sa gueule béante et ses yeux noirs comme des billes, on l'a enterré dans une couverture antifeu.

C'était le chat de notre enfance.

Sans lui je perdais confiance. Je me sentais plus seule encore.

Dans la rue je faisais attention. Je me méfiais des inconnus. Ma mère m'avait prévenue. On pouvait me faire du mal, me prendre mon sang et ma vie. Enfant on l'avait agressée avec un couteau. Je refusais de monter en voiture ou de parler à des étrangers.

J'aurais dû demander un frère à maman. Il m'aurait protégée. Un frère aîné aux yeux bleus. Ma sœur était heureuse d'avoir une petite sœur à vêtir comme une poupée. Elle aimait me tresser des nattes et me faire répéter des chansons un peu stupides. Je lui servais de cobaye, elle m'avait brûlée un jour avec un verre exposé au soleil. Elle m'avait même coupé les cheveux pour jouer à la coiffeuse, la frange très courte en biseau, j'avais perdu mes jolies mèches. Un frère m'aurait protégée, et je n'ai fait que prendre sa place à ses côtés. Les frères et sœurs se bagarrent, c'est ce qu'on dit. Se chamaillent, s'engueulent, se mentent ou se chapardent. Les sœurs sont les plus terribles. Pourtant il y avait très peu de gestes déplacés entre nous. Pas d'électricité dans l'air ou de disputes bruyantes. J'étais boudeuse, parfois frondeuse, ma sœur prenait son air sombre, mais rien ne sortait d'une vraie violence. C'est sans doute pour ça que je n'aime pas les conflits ; je ne sais pas faire avec. Je reste devant elle comme une porte close. Entre nous il y a une ombre fragile, l'absence d'un frère qui lui a manqué autant qu'à moi.

À l'adolescence, j'ai eu droit à des « bonjour, jeune homme » troublants. Pour mes cheveux coupés très court, mon jean large tombant sur les hanches et mes pulls déformés. J'aurais pu avoir un sexe d'homme. J'ai une part masculine bien plus développée qu'elle. Dans ma mère, je vois l'homme aussi. Il y a une forme d'autorité évidente. Nous nous ressemblons beaucoup, le visage carré, le nez, la voix, les lèvres bien dessinées, les épaules voûtées, pourtant il y a entre ma sœur et moi un air familier, on nous sait d'un même sang, ça m'étonne toujours, ça l'étonne encore plus, tout est dans le regard et le bas du visage.

Le mercredi je passais du temps à la bibliothèque. Je plongeais dans *Le Collier de la reine*, *Le Baron perché* ou *L'Attrape-Cœur*. Je me réfugiais dans la lecture.

Le soir, je lisais beaucoup, énormément. En vacances, un ou deux livres par jour. Je m'endormais tard, une petite lumière sous la couette, je me brûlais les yeux jusqu'à plus soif. J'étais fière de ma chambre bien rangée avec des livres alignés par ordre alphabétique de nom d'auteur. Je conservais précieusement les critiques littéraires de *Libération* et du *Monde*, même si je ne comprenais pas tout, je soulignais au stabilo orange, je découpais, collais sur des feuilles blanches, puis rangeais dans un classeur. Je cherchais ensuite les livres dans les rayons de la Fnac, une nouvelle traduction des poèmes d'Ovide, une belle édition de *Don Quichotte*, un roman hongrois ; je revenais des salons du livre les sacs pleins et le portefeuille vide. J'étiquetais même les ouvrages avec des petits cartons référençant auteur, titre, année et éditeur. J'aimais l'Antiquité grecque, Eschyle et Sophocle ; la Grèce, c'était la tragédie, la famille qui se déchire, l'excès en tout sens, le sang des Atrides, Antigone qui tient tête au monde entier. J'avais un cœur de midinette pour les histoires d'amour, un cœur aventurier aussi. Il n'y avait pas de limites à mes lectures.

Les livres c'était de famille, des collections qui s'entassaient sur des étagères bancales, tapissant les murs des pièces et des couloirs. Des cartons jusqu'à la cave. C'était précieux. Ça remplissait notre vie. Mais en même temps ça nous détournait d'autre chose, ça faisait silence ; c'était l'aveu que nous ne savions pas faire avec la langue.

Aujourd'hui encore, ma sœur ne peut pas affronter mon regard, même bienveillant, elle n'arrive pas à me parler, et je n'y arrive pas non plus. Ça reste entre nous. Il y a quelque chose de dur et de malsain là-dedans. Nous ne nous mêlons pas, nous rejetons tout corps étranger pour rester dans une certaine pureté. Nous nous desséchons sur pied, sans langue métisse, sans corps médium, nous n'apprenons pas de nouveaux mots, de nouveaux gestes, de nouveaux sentiments, nous manquons de sang neuf. Elle est l'orchidée sauvage, je suis la mousse sur un tronc de noyer. Je suis le gui sur l'arbre qui s'abat dans un pré.

L'écriture est venue naturellement, comme le sel de la mer, la pluie des nuages, la cendre du feu, elle s'est déposée en moi comme un sédiment et m'a emportée, ce n'était pas douloureux, j'écrivais le soir sur une petite machine à écrire manuelle, puis électronique, des textes courts, des poèmes ou des chansons, quelques histoires, je prenais partout avec moi un stylo et un carnet que je griffonnais dans le métro ou la voiture, sur un coin de bureau ou un banc, j'écrivais et ça remplissait ma vie, comme une cigarette ça me donnait une contenance et un rôle secret à jouer. J'observais. Je choisissais mes plumes et mes encres, les couvertures des carnets, je faisais des croquis, j'avais commencé un roman ambitieux, l'histoire d'un gang de filles qui enquêtaient sur des disparitions de tableaux. Je ne me cachais pas, je devenais l'écrivain public. Je participais à des concours de nouvelles ou de poésie, on me retournait des lettres de refus, qui ne me giflaient pas, j'avais une forme d'assurance. Puis le charme s'est rompu, j'ai cassé mes jouets, je n'avais plus de rempart. Je n'avais rien à raconter. Les mots me trahissaient. Je ne savais pas dire les sentiments et les corps qui s'aiment. On ne m'avait jamais raconté d'histoire.

Ma sœur ne me demande pas si j'écris. Elle ne demande pas si ça va. Je finis par m'y faire, le sable recouvre les traces anciennes, la mer polit les arêtes des cailloux, et j'imagine que tout va pour le mieux. Nous avons des dialogues de sourds qui ne font pas mal. Pourtant je me sens sans cesse ramenée à elle. Et à ma place près d'elle. Je suis sa sentinelle. Je la surveille du coin de l'œil.

Chaque année je passais une semaine chez ma grand-mère à Nice. Elle menaçait de représailles ma mère, de saisir la justice, si on ne venait pas.

À l'aéroport on me mettait autour du cou une pochette avec mes nom, prénom et adresse. Je voyageais avec des petits que je dépassais de plusieurs têtes. On entrait les premiers dans l'avion et on attendait sagement au fond avant de sortir. Je sentais déjà par le hublot la lavande, le thym et l'origan, la chaleur du soleil et les salins de la mer. J'étais happée par la douceur de l'air, la lumière crue et les paysages tranchés. Je me sentais libre loin du regard de ma famille. Je dormais comme un loir jusqu'en début d'après-midi et je dévalisais les placards de coca-cola et de nutella. Je regardais la télévision jusque très tard. Je m'installais dans un fauteuil avec un plaid sur les genoux, je me sentais protégée, et je regardais par les baies vitrées les passants s'agiter. Nous étions au pied de la vieille ville, il y avait des ruelles étroites, des cours pavées et de vieux porches, du linge aux fenêtres, des odeurs de cuisine, des ombres fraîches au pas des portes, des bougainvilliers en fleur ; je montais jusqu'aux jardins suspendus qui dominaient la ville.

Ma peau a pris du soleil une part de sensualité, si j'y pense je me jette à l'eau, je sens une chaleur glisser sur ma peau. Je pense à une photo prise en 1993, après le baccalauréat.

J'ai le visage doux, éclairé par une belle luminosité, maquillé avec du fard à paupières rose et un semi-transparent framboise, les cheveux ont la bonne longueur, je porte une jupe en soie bleu et blanc, des sandales à talons, un tee-shirt à col bateau qui souligne la courbe des épaules. Je n'ai pas de lunettes mais des verres de contact. Une insouciance que ma gravité naturelle n'étouffe pas. Je m'offre en confiance. J'aime la silhouette de cette époque.

Cet été-là je me promenais dans les rues de la vieille ville, légère, presque joyeuse, il faisait chaud mais je n'en souffrais pas. J'offrais mon visage, ma peau blanche, aux morsures du soleil et aux passants, ce visage qui m'était si souvent étranger.

L'année suivante, je portais une jupe courte, un garçon me disait que j'avais de jolies jambes. Je sentais le regard des filles sur ce corps qu'elles ne soupçonnaient pas.

Je comprends là qu'il faut toujours aller à l'encontre des autres. Avec les autres on reste dans l'enfer.

Ce n'était qu'une parenthèse enchantée.

Lorsqu'on me dit qu'un chapeau me va bien, comme une robe, un bijou, un fard, je n'y crois pas. Je me vois avec ma tête de bébé en forme de poire, ma tête pleine de savoirs sur un corps fantôme. J'ai une piètre idée de moi. Et dans tout ça ma sœur n'est jamais loin. Puisque sa jolie petite tête entre dans tous les chapeaux, bonnets, bérets, casquettes et autres panamas.

Je ne me maquille pas, je m'habille mal, je n'ai que des affaires confortables et des chaussures plates, je ne prends pas soin de moi, je m'épile vite sous la douche. Je suis emmaillotée comme un nouveau-né. Je crois au regard qui changerait tout ça, je crois en celui qui me dira des choses douces. La féminité m'encombre, je m'en défends, ce n'est pas un don du ciel. De mon adolescence maladroite j'ai gardé les mains qui glissent, les bagues que j'ôte de mes doigts comme des arceaux d'argent qui me brûlent la peau. Et si je me regarde dans les miroirs je ne vois qu'une eau transparente, un sexe sans sueur, un corps sans sexe.

Il faudra encore des milliers d'années pour une pointe de dentelle entre les seins.

Été 1987. Sur la plage je m'allongeais sur le ventre, j'écrasais ma poitrine contre le sol. Ma sœur avait un deux-pièces noir plutôt sexy noué sur le devant, très années cinquante. Elle était menue. Mon ventre était blanc, ma peau granuleuse, il fallait pour rejoindre la mer basse s'armer de courage et parcourir des centaines de mètres. Elle avait peur du vide, j'avais peur des regards, mais je faisais front. Je sentais que mon corps gênait. Je marchais dans le flou, avec mon regard myope, je nageais quelques brasses, emportée par le courant, j'appelais ma sœur à la rescousse, elle n'était jamais loin.

Nous sommes sœurs, et on ne peut pas m'enlever ce sang, l'enfance, la généalogie, l'origine des origines.

Nous ne nous sommes jamais éloignées, du plus loin de l'enfance, il y a des vagues et de l'écume, du sable chaud, des grandes marées et du sel dans la gorge, des pierres coupantes et des couteaux de mer, des dormeurs et des

74

musaraignes, des soleils couchants et des avis de tempête, le drapeau rouge ou vert dans le vent, nos regards vagues à l'horizon et ma main dans la sienne. Et sur nous il y a le regard de ma mère qui ne nous perd jamais de vue.

J'en suis là, de cette histoire de femme.

Ma grand-mère se meurt, et je n'y peux rien. Elle ne hante pas mes nuits. Elle croupit au fond de l'eau. C'est un poisson frit. J'ôte la panure et je ne trouve pas les arêtes. Elle les a avalées depuis longtemps. Tout est carré et éviscéré. Ma mère est un poisson d'eau douce pris dans le courant. Ses écailles sont bleu-gris. Tout son amour flotte à la surface. Ma sœur va bien, c'est un poisson-lune, sur sa route il y a des petits cadavres qu'elle ne voit pas.

Est-ce que l'amie a des enfants ? Est-ce qu'elle pactise avec son sang ? Est-ce qu'elle pense à moi ?

Avec chacune je suis dans les orties et les yeux qui piquent. J'ignore si je dois me gratter, gratter la terre de mes ongles sales. Je suis dans le secret des autres et ce secret me recouvre. Je m'approche au plus près, je tends l'oreille, les murmures m'échappent, les secrets s'envolent comme des papillons de nuit. Il y a des mensonges par omission, des mémoires effritées, des souvenirs troués comme de la dentelle. Je suis dans la nuit des autres, et dans la mienne je m'aventure avec peine. Depuis des années je vais contre moi. Je remonte le courant et j'y suis tout à fait rincée. Je vais contre les vents qui portent et les marées hautes, contre les sillons et les graines qu'on sème. C'est comme massacrer un potager au printemps. Je sens le danger de rester dans un corps sans cycles, sans lune ni soleil.

Je ne suis ni mère ni femme. Je suis dans l'ombre de ma mère et de ma sœur.

Dans cette histoire de femmes, il y a un homme, bien sûr. Mon père. C'est mon champ de bataille.

À onze ans je ne le voyais pas beaucoup. Il était en voyages d'affaires la moitié de l'année. Au milieu des cerisiers du Japon ou des bonnets péruviens. J'attendais ses cartes postales du bout du monde, ses petits mots envoyés d'hôtels quatre étoiles. À la maison il n'y avait pas grand-chose de lui, une moitié de placard pour ses vêtements et un petit cabinet de toilette. Je punaisais au mur des vues des plus grandes métropoles, Moscou, Shanghai, New York, Rio de Janeiro, et je faisais tourner la mappemonde lumineuse. Dans l'enfance j'avais une adoration pour lui. Il me portait au ciel, sur ses épaules je dominais la terre, je m'endormais dans ses bras, je tenais dans ses mains.

Mon père c'est Lino Ventura, la force tranquille, le feu du rasoir, l'après-rasage, l'eau de Cologne sur la peau douce. C'est un athlète, il a des cicatrices et un tatouage pirate, une ancre marine presque effacée. Mais au fond c'est un chamallow. C'est un petit garçon qui a besoin de sa mère.

À son retour on faisait silence. On avait presque peur de lui. Il avait parole d'homme. Mais c'était la parole d'un étranger. J'étais la seule à me frotter à lui, à tanner sa peau endurcie. Je faisais le crabe, je marchais de côté et je le pinçais, il m'attrapait et me jetait dans l'eau bouillante, j'étais cramoisie. Le sang coulait entre nous, c'était violent et coupant, il frappait juste avec ses mots terribles, j'étais ravagée, giflée, une terre brûlée, une pluie de cendres.

Je pense à lui, cette montagne qui s'effrite, ce terril poudreux, et j'aimerais y mettre les mains et les bras. Quand je me suis effondrée, mon corps se perdant en eaux, il ne m'a pas prise dans ses bras. Il s'est tenu à distance, comme toujours, des histoires de femmes. Les baisers ce n'est pas de famille. C'est toujours une maladresse, entre caresse et giflure. Ce n'est pas quelque chose qu'on sait faire. Ce n'est pas appris et ce n'est pas transmis. Embrasser des amis ou des parents sur les joues, se tenir par la main, passer les doigts dans les cheveux, se prendre par la taille. Mon père nous embrasse sur le front, il y a là comme un tatouage hindou, le signe du baiser chaste.

Il faut que j'ouvre le cercle des femmes pour lui faire une place. Il faut que j'invite les hommes à partager le sang.

Depuis l'enfance je suis celle qui parlera pour les autres. C'est là ma place, dans le sang et les liens.

Le sang doit revenir et couler comme l'écriture qui m'enlève à nouveau. L'écriture coule dans les veines, douce et chaude, et délie la parole des femmes. Elle consume la peau et les os, les mains, me brûle, le bout des doigts jusqu'au petit orteil, pour dire, tout dire, et ne pas en garder sous le coude.

Je suis pleine comme une baleine qui enfante, la vague m'emporte, je me dénoue, j'ai dormi trop longtemps comme un loir, l'enfant sage, ce n'est pas moi, je brûle d'être moi, je glisse enfin, ça chauffe entre les reins, dans les mains, ça respire, par la peau, ça froisse, ça vit, ça palpite, j'ai le feu au ventre, une boule incandescente, ça sort en mots bleus, jaunes, rouges et verts, ça fait arc-en-ciel, je suis bien, en moi. J'attends l'enfant.

J'ai du sang et des mots, j'ai toute ma féminité à offrir en partage, tout l'amour, j'attends *le* regard et *la* main.

Il y a bien cet homme que j'aimerais aimer, mon sourire glisse sur lui, et je m'esquive comme une flaque d'huile, je suis un peu poisseuse, j'ai les mains moites, il ne m'attrape pas, et de cela je ne lui parle pas, on se voit entre des portes à peine ouvertes, de celles qui ne grincent pas et ne laissent passer aucun courant d'air, je ne lui donne pas sa chance, sur le pas des portes il y a des ombres amassées, et toute une lumière tombée à plat, chacun garde son petit feu, je ne lui dis rien, j'ai peur de le bousculer, je ne sais pas y faire, je ne suis ni douce ni tendre, ma peau est rêche, ma langue est âpre, si jamais je glisse, je le gifle, tout m'énerve et je lui renvoie toutes les fautes, j'aimerais qu'il aille au charbon, j'aimerais toute sa force d'homme, quand il appelle je ne frissonne pas, je l'écoute poliment car je suis bien élevée, civile et attentionnée, c'est mon éducation, je n'en souffre pas, c'est même un peu grisant, le paon faisant sa roue, tous atouts dehors, et mille artifices de capture mis à mal, balayés par le revers de ma main, s'il faisait

attention il saurait pourquoi j'ai l'air d'un gla
çon bien poli, qui lui échappe, coule entre ses
mains longues et fines, file entre ses doigts, mais
il ne pose pas les bonnes questions.

*Est-ce que je lui plais ?*

La première fois j'ai senti son haleine forte et
son regard insistant, c'était une soirée d'anniversaire, nous ne connaissions pas grand
monde, je l'écoutais, et il me parlait de lui,
nous étions moins seuls, il a évoqué des choses
intimes, sa famille et son travail, ce qui n'allait
pas, et j'ai pris la posture de celle qui confesse,
je m'ennuyais et j'avais une amie à voir, il m'a
raccompagnée en voiture, maladroitement il a
pris mes coordonnées, trop vite, presque
essoufflé, il a même proposé qu'on se voie le
week-end d'après, je n'ai pas répondu au message qu'il m'a laissé le lendemain, il me faisait
peur.

*Pourquoi je ne l'oublie pas ?*

Deux ans après j'ai retrouvé sa trace, j'ai
plaidé la faute, nous avons repris avec un peu
de distance notre conversation, j'ai prétexté des
conseils, car je voulais m'acheter un appareil
photo, il m'a répondu civilement, il était mordu
de photographie, je suis partie en vacances, à
mon retour trois messages attendaient, sans
précipitation j'ai donné suite comme si je lui
rendais la monnaie de sa pièce, il est venu me
chercher dans une voiture rutilante pleine de
gadgets, la clim à fond contre la canicule de la

ville, on s'est échappés vers la campagne, il a mis de la musique classique et quelques standards américains, il m'a parlé calmement d'une voix égale et nous avons roulé vers l'est de Paris, je l'ai trouvé doux et gentil, on a rejoint ses amis autour d'un déjeuner sans façon, simple et bon, des grillades, une salade et des fruits, une balade sur les bords de Seine, j'ai respiré à pleins poumons, heureuse de l'échappée, en rentrant sur l'autoroute j'ai imaginé un bout de vie avec lui, bourgeois et confortable, ses amis fidèles, ses bras solides et attentionnés, je l'ai aidé à choisir un pantalon de sport dans un grand magasin, ça lui moulait les fesses, il avait maigri de six kilos depuis notre première rencontre, il avait aussi perdu ses cheveux, je ne suis pas restée dîner avec lui, on s'est quittés à peine frôlés, j'ai repensé dans la nuit à ses yeux noirs et à sa voix basse et chaude, j'ai songé à percer son opacité, le lendemain il est revenu m'attendre en bas de chez moi, la voiture avait changé, je n'y connais rien, mais elle était plus petite et sans clim, il avait loué celle de la veille, j'ai souri en moi, il n'était qu'un petit garçon qui joue à la voiture, j'étais prise en faute, il m'a emmenée dans une boutique choisir un appareil photo, mais je n'ai rien acheté, je n'en avais plus envie, je le décevais déjà.

*Est-ce qu'il en souffre ?*

Deux semaines plus tard on s'est promenés à Paris-Plage, le ciel était pur sans ombres blanches, l'air à peine plus frais en bord de

Seine, les enfants faisaient des châteaux de sable avec des seaux en plastique, à côté de faux baigneurs et de vrais coups de soleil, on a pris l'eau sous les brumisateurs et regardé les bateaux-mouches, le soleil se couchait derrière Notre-Dame, il m'a offert une glace vanille-chocolat, je lui ai offert un soda sans sucre, le moment était doux, mais j'avais d'autres instants à vivre, il m'a raccompagnée, je lui ai fait la bise et je suis vite descendue de la voiture, ses lèvres tremblaient et ses yeux étaient tristes, il n'a rien fait pour me rattraper, il aurait dû.

*Qu'attend-il pour me prendre la main ?*

Il s'est cassé le pied droit, j'ai proposé qu'on se voie pour dîner à sa convenance, au restaurant j'ai grignoté les miettes avec mon appétit de moineau, sans fromage ni dessert, un filet de poisson avec une julienne de légumes, et un thé vert, j'ai l'estomac fragile, ça me brûle, j'ai souvent mal, il a pris un carpaccio de bœuf, des frites et une farandole de desserts, un café serré, j'ai suivi du regard les aiguilles de sa montre, je ne devais pas rentrer tard, c'était faux bien sûr, j'avais la nuit tranquille devant moi, rien ne m'attendait ni personne dans mon studio immobile où je tournais en rond tous les soirs comme un poisson hyperactif, rien qu'un gros chat pépère qui vieillit doucement.

*Ai-je peur de lui ?*

Il est parti en vacances, dix jours à la montagne, et j'ai eu beaucoup à faire, à son retour il

voulait me parler, il m'a attendue sur la place
venteuse, dégoulinante de pluie, de l'église
Saint-Sulpice, j'avais un peu de retard, je ne
voulais pas montrer mon impatience, d'ailleurs
je n'avais pas de fourmis dans les jambes en
allant à ce rendez-vous, ni de cœur battant la
chamade, je me suis excusée, et nous avons
couru nous réfugier dans un bistro, l'air était
sec et enfumé, le sol dégoûtant de papiers et de
mégots avec une forte odeur de javel, il a sorti
son ordinateur et ses photos de vacances, j'ai
caché mon ennui, puis j'ai bâillé deux ou trois
fois, il m'a vite raccompagnée, j'ai trouvé des
excuses pour ne plus le voir, il m'a inondée de
messages, de mots que je n'aime pas, c'est bru-
tal, ça me met la puce à l'oreille, cette langue
frontale, faite d'un seul bloc, c'est une langue
commerciale, précise et transparente, il fixe des
rendez-vous / communique avec moi / rentabi-
lise un trajet, c'est violent, et je me fous bien de
sa politesse, je veux autre chose, en attendant la
situation va pourrir, le fruit trop mûr va tom-
ber, la branche ploie dangereusement vers le sol
car j'ai trop chargé la barque, il va se lasser sans
comprendre, sans être sûr que je me fous de lui
et de sa gueule de métèque, et je ne saurai jamais
si je suis une plume dans ses mains, si ses lèvres
sont douces et aimantes, si je lui plais, si je
pourrais l'aimer, ça commence comment l'histoire entre un homme et une femme ?, il doit
avoir la peau douce, le visage est presque
imberbe, mais je bute toujours sur ses yeux
noirs et silencieux, de petits trous mystérieux

qui m'effraient un peu, et je n'aime pas beaucoup son sourire, quasi absent, il pense sans doute qu'il m'aura à l'usure.

*Est-ce que ça fait mal, si je le laisse faire ?*

Pendant trois semaines il n'a pas écrit, je lui ai envoyé un message, il avait beaucoup de travail, les vacances de Noël étaient toutes proches, il allait sans doute passer les fêtes avec son frère et quelques amis, je sentais dans sa voix de la tristesse et de l'envie, de me savoir au chaud en famille, j'ai eu pitié de lui, nous avons organisé un rendez-vous avant Noël, sa mère était à l'étranger, il voulait que je vienne chez lui, pour me montrer des photos de lui à cheval, lui à l'école, lui à tous les âges, je ne sais pas dire non, on a donc décidé de dîner léger, j'ai quitté le travail tôt et j'ai pris un train gare Montparnasse jusqu'à Clamart, il faisait un froid glacial, il m'attendait devant la station dans sa voiture surchauffée, nous nous sommes arrêtés un peu plus loin devant un restaurant plutôt chic, il y était venu il y a deux ans avec sa copine de l'époque, c'était bon et réputé, j'ai su que le repas passerait mal, j'ai souri, il était si peu psychologue, nous nous sommes collés à un radiateur, le décor était propre et rustique, avec un air de décrépit, la nappe était rose et beige, couverte de bougies intimes, nous étions les premiers, nous avons pris notre temps, la cuisine ouvrait à peine, le dîner était cordial, entre gens de bonne compagnie, j'étais fébrile, assoupie par l'air chaud, j'ai bu des litres d'eau, je portais un pull en laine sur un col roulé qui me grattait, il m'a parlé de ses centres d'intérêt et de sa famille, j'ai farfouillé dans mon assiette, une choucroute de poissons, le thon avait mauvais goût, le saumon était gras, le haddock trop salé et la sauce au beurre pesait une tonne, il n'a pas aimé son canard au poivre vert, trop ferme, mais il a tout mangé et avalé son moelleux au chocolat, la salle s'est remplie, j'ai pris des poires au vin et une verveine, il était déjà tard lorsque nous sommes sortis, j'ai proposé qu'il me raccompagne chez moi, l'air a glacé nos mains, il était triste, presque las, à mon retour j'ai vomi le repas dans les toilettes, je n'ai rien gardé de la soirée, je me suis endormie avec une bouillotte et des cachets d'aspirine.

*A-t-il bien dormi?*

Dans l'hiver il n'avait pas le moral, un coup de blues, il a voulu me voir et me parler, je suis attentive et gentille, tout m'intéresse dans la vie des autres, on s'est donc vus, dans un café une femme s'est assise à notre table, elle sentait l'alcool et la solitude, elle avait les restes d'une beauté adolescente, elle était agressive mais j'aimais son regard bleu tendre, elle avait peu de temps à vivre, une maladie qui la rongeait, comme un chien sur un os, elle nous a raconté son père violent et sa famille absente, son fils abandonné. je lui ai souri et glissé quelques mots, elle nous a quittés pleine d'amour pour nous, il s'est penché et m'a chuchoté à l'oreille une gentillesse, qu'il me trouve liante, pas

comme ses amis autistes, je n'aime pas les com-
paraisons, j'ai failli le laisser avec son ordinateur, ses photos de vacances et ses minividéos
dont il montait le son trop fort dans le café, ça
me mettait mal à l'aise, je suis peut-être gentille
mais j'ai un fond dur, pas un mauvais fond,
mais le fond d'une casserole en fonte.

*Est-ce que l'amour ça adoucit ?*

Il y a une semaine j'ai retrouvé des amis dans
un restaurant italien, il y avait de la bonne
musique et de bons plats, une ambiance feutrée
et des bougies sur les tables, de la grappa et du
limoncello, un couple à côté de nous, justes
dans leurs gestes et leurs regards, à la bonne
distance, une amie m'a glissé qu'ils allaient bien
ensemble, ça sautait aux yeux, j'aimerais bien
une photo de lui et moi pour voir, c'est plutôt
foutu nous deux, ça sent le roussi et le dégât des
eaux, il a décampé, il est parti en week-end à
Bruges, Amiens, Nice et Marseille, il a même
filé à Lille chez une amie, je suis forcément
jalouse, il occupe ses journées, il se fait une
raison, je ne lui reproche rien, je ne donne plus
de nouvelles, j'attends derrière l'ordinateur,
j'attends quoi ?, je pense à son étrange regard,
qui me trouble un peu.

*Est-ce qu'il pense à moi ?*

Ce matin j'ai fait une échographie, un examen pour voir pourquoi il ne se passe rien en
moi, je n'ai plus de sang, j'ai tourné la tête vers
le moniteur, j'ai vu en noir et blanc l'utérus, j'ai

entendu des pulsations, le pouls du cœur, mais il n'y avait aucune vie à naître, je n'étais pas dans une scène de film, j'étais vide et en sortant j'ai pensé qu'il pourrait être un père, il n'était même que ça, un père avec des épaules fortes pour ma tête lourde et des bras rassurants pour mon corps inflexible, un père pour l'enfant à naître, mais je n'imagine pas mêler mon corps au sien, mon odeur et ma sueur à sa peau et à son sexe, à sa salive, je relis des livres qui parlent de mélanges et de phéromones, ces petites glandes que nous avons comme des animaux, qui seraient des signes de reconnaissance.

*C'est quoi l'amour ?*

Je pense à l'amie. Elle m'attend dans un café.
Je ne sais rien de sa voix, j'ai un message sur
une carte, que je relis comme une énigme. C'est
le blanc devant mes yeux, j'ai peur de lui
déplaire. A-t-elle changé ? A-t-elle les mêmes
yeux, des flaques d'eau qui captent les nuages ?
A-t-elle froid ? A-t-elle faim ? A-t-elle le trac ?
A-t-elle envie de moi ? De mes mots et de mes
yeux ? Vais-je lui parler ? Vais-je dire la vérité ?
Toute la vérité, comme dans un tribunal ? Sera-
t-elle dure et froide comme un poisson mort ?
Ou pleine d'indulgence ? Écoutera-t-elle ?
Entendra-t-elle ? Même si la porte est close, les
fenêtres feutrées ? Comprendra-t-elle ? Qu'y a-
t-il à comprendre ?

Pourquoi je ne suis pas aimable ? Pourquoi je
me cache ? Pourquoi on cherche mes yeux en
l'air, ma main dans l'eau, mes seins sous terre ?
Pourquoi dix mille mots d'amour, pourquoi
dix mille baisers, pourquoi dix mille sourires ne
suffisent pas ? Pourquoi un oui me gifle, une

caresse me brûle, un silence m'abîme ? Pourquoi je veux le peu et le moins ? Pourquoi les restes, la cendre et le sable, les bouts de mégots ?

C'est quoi, être aimable ? Boire du jus de carottes ou une infusion de thym ? Porter une taille basse et des poches revolvers ? Enfiler des talons hauts et une jupe fendue ? Mettre des *bagues à chaque doigt* et des *tas de bracelets autour des poignets* ? Avoir des ongles peints et des lèvres rouges ? Raconter des histoires drôles en se poussant du coude ? Je ne sais pas faire.

J'écris, et je suis aimable. J'ai ça pour moi. Voilà ce que je dirai à l'amie.

Je suis un chat noir, j'ai la patte folle et la gueule de travers, je suis un chat noir, sans pedigree ni tatouage, je suis un chat noir, qui porte malheur, je suis un bossu, une sorcière, j'ai des ongles mous, des jambes arquées, des oreilles décollées, des doigts crochus, des paupières lourdes, une verrue sur la joue, un gros nez, je suis un bras cassé, je n'ai rien pour moi, j'ai ma beauté et j'ai ma laideur pour moi, j'ai mes secrets, mes landes mystérieuses, mes douves profondes, mes étangs marécageux, dans la boue de l'or, dans les algues des perles, des bagues et des diadèmes, j'ai toute la beauté du monde, mais il faut des bottes de sept lieues, un imperméable et une lampe torche ; qui m'aime me prend tout entière.

J'écris, et je parle à l'amie. Et au-delà de l'amie. J'ignore d'où ça vient, ce qu'il y a dans les lignes, le livre, le sang, la peur, le vrai, le faux, le rêve, le tout, la vie, l'amour, je parle comme à personne, et on prend ou on ne prend pas, c'est un cadeau. Voilà après je peux me taire, le secret passe de main en main.

Je suis aimable, je suis dans le livre qui s'écrit, dans la langue qui coule et me délivre de la gangue. Les mots lavent, comme dans un grand tambour, je sors lessivée, frictionnée et essorée, propre comme un sou neuf. J'écris et je suis prête pour les larmes.

Ma mère va pleurer, et je recueillerai son eau dans le creux de mes mains, je ferai de petites coques que je placerai sur les yeux, ça rincera les pupilles, et j'y verrai plus clair. Ma sœur va pleurer, et je la prendrai dans mes bras immenses qui l'encercleront telle une forêt de pins, elle s'épanouira en femme-fleur, des papillons dans les cheveux et de l'or dans les yeux, et je butinerai son miel. Ma grand-mère va pleurer, et je lui donnerai la main pour traverser le gué et le fleuve tumultueux, le vaste monde, puis les vagues scélérates, et je la laisserai sur l'autre rive. L'amie va pleurer, et je poserai ma tête sur son épaule, j'aurai fait un bout du chemin, et son sein sera doux. Je m'y enfoncerai. Je n'aurai plus tout à fait peur. Je serai celle qui parle.

*Ce volume a été composé par*
*I.G.S.-CP à L'Isle-d'Espagnac (Charente)*
*et achevé d'imprimer en novembre 2005*
*dans les ateliers de **Bussière***
*à Saint-Amand-Montrond (Cher)*
*pour le compte des Éditions Stock*
*31, rue de Fleurus, 75006 Paris*

*Imprimé en France*
Dépôt légal : janvier 2006.
N° d'édition : 65847. – N° d'impression : 054302/1.
ISBN : 2-234-05830-9
54-51-5830/2